LECTURE EN FRANÇAIS FACILE

L'Avare

Molière

Niveau 3

ADAPTÉ EN FRANÇAIS FACILE
PAR CATHERINE BARNOUD

www.cle-inter.com

Sommaire

ISBN : 978-209-032914-8

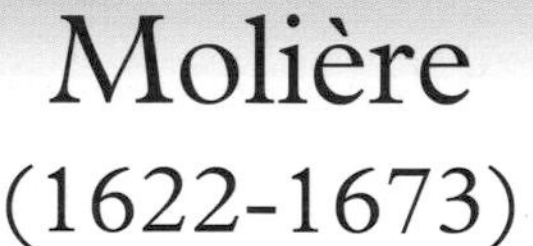

Molière
(1622-1673)

Molière est né à Paris en 1622. Son vrai nom est Jean-Baptiste Poquelin. Il fait des études de droit pour devenir avocat (1640). Mais il décide, contre l'avis de son père, de devenir comédien (1643).

Il créé la compagnie appelée « l'Illustre théâtre ». Après des années difficiles, il a la chance de jouer devant le roi Louis XIV.

En 1665, il crée avec ses comédiens la « Troupe du roi ».

Il a écrit une trentaine de pièces, parmi lesquelles : *Les Précieuses ridicules* (1659), *Tartuffe* (1664), *Don Juan* (1665), *Le Misanthrope* (1666), *Le Bourgeois gentilhomme* (1670), *Le Malade imaginaire* (1673).

Il meurt le 17 février 1673, à la quatrième représentation du *Malade imaginaire*, alors qu'il était l'acteur principal.

Les personnages

Harpagon
Père de Cléante et d'Élise

Cléante
Fils d'Harpagon, amoureux de Mariane

Élise
Fille d'Harpagon, amoureuse de Valère

Valère
Fils d'Anselme, amoureux d'Élise

Mariane
Amoureuse de Cléante et aimée d'Harpagon

Anselme
Père de Valère et de Mariane

Maître Jacques
Domestique* d'Harpagon

La Flèche
Valet* de Cléante

Brindavoine, La Merluche
Laquais* d'Harpagon

Frosine
Femme qui arrange les mariages

Le Commissaire
Le commissaire de police

Les mots suivis d'un astérisque (*) sont expliqués dans le lexique, page 62.

L'Avare
(1668)

Le genre

Comédie

L'histoire

Cela se passe au XVIIe siècle, à Paris. Harpagon, riche bourgeois, est veuf* avec deux enfants, Cléante et Élise. Il veut marier sa fille à Anselme (un vieillard très riche) et son fils à une « certaine veuve ».
Élise est amoureuse de Valère, un jeune homme qui s'est introduit chez Harpagon comme domestique*.
Cléante est amoureux de Mariane, une jeune femme que son père a choisi d'épouser*.
Mais Harpagon pense avant tout à son argent...

Les thèmes principaux

Les relations père-enfants, l'amour, l'argent, l'avarice*.

Acte I

Scène 1

VALÈRE, ÉLISE

Élise a promis à Valère de l'épouser*, mais elle paraît très préoccupée.

Valère cherche à comprendre l'inquiétude d'Élise. Elle reconnaît les qualités immenses de Valère qui lui a sauvé la vie.
Par amour, il a accepté de rester loin de ses parents et de son pays. Pour elle, il a accepté un emploi de domestique* chez Harpagon, le père d'Élise.

VALÈRE

Je fais cela par amour pour vous. Mais je regrette l'attitude sévère de votre père. Son avarice* est grande !

ÉLISE

Il faut parler à mon frère.

VALÈRE

Tout semble opposer votre frère et votre père.

Valère s'en va. Cléante arrive.

Scène 2

ÉLISE, CLÉANTE

CLÉANTE

Ah, ma sœur… Je voulais vous dire un secret.

ÉLISE

Qu'avez-vous à me dire ?

CLÉANTE

Bien des choses, ma sœur… J'aime.

ÉLISE

Dites-moi, qui est la femme que vous aimez ?

CLÉANTE

Elle s'appelle Mariane.

Cléante dit à sa sœur qu'il est amoureux de Mariane, mais il a peur de la réaction de leur père, Harpagon.
Mariane est une jeune femme qui habite depuis peu de temps dans le quartier, avec sa mère âgée et malade. Elles ne sont pas très riches et Cléante aimerait les aider, mais Harpagon, riche et avare*, ne lui donne même pas d'argent pour acheter des vêtements corrects.
Élise et Cléante regrettent chaque jour la mort de leur mère.

On entend Harpagon. Élise et Cléante sortent.

Scène 3

HARPAGON, LA FLÈCHE

Harpagon est furieux de trouver La Flèche chez lui.

HARPAGON
Dehors ! Tout de suite !

LA FLÈCHE
Pourquoi me mettre dehors ?

HARPAGON
Tu n'as rien à me demander. Sors d'ici !

LA FLÈCHE
Qu'est-ce que je vous ai fait ? Votre fils m'a donné l'ordre de l'attendre.

HARPAGON
Va l'attendre dans la rue et ne reste pas dans ma maison ! Tu observes tout ce qui se passe ici. C'est pour voir s'il n'y a rien à voler*. Tu es capable de dire à tout le monde que j'ai de l'argent caché* chez moi !

LA FLÈCHE
Vous avez de l'argent caché ?

HARPAGON
Non, je ne dis pas cela. Sors d'ici, encore une fois.

La Flèche sort, mais Harpagon croit qu'il lui vole quelque chose. Il l'arrête et lui demande de lui montrer ses mains, puis ses poches.

LA FLÈCHE

Ah ! Quelle avarice ! Que de gens avares !

HARPAGON

De qui parles-tu ?

LA FLÈCHE

Vous croyez que je parle de vous ?

HARPAGON

Insolent ! Tais-toi et sors !

Scène 4

HARPAGON, ÉLISE, CLÉANTE

Harpagon parle tout seul et tout haut. Il a reçu hier beaucoup d'argent et il se demande comment le cacher, car il a peur d'être volé. Il pense enterrer les 10 000 écus dans son jardin pour les mettre en sécurité. Élise et Cléante entrent. Harpagon est surpris.

HARPAGON

Vous êtes là depuis longtemps ? Vous avez entendu ce que j'ai dit ?

ÉLISE
Non!

HARPAGON
Je suis sûr du contraire… En fait je pense que les gens ont bien de la chance quand ils ont 10 000 écus!

CLÉANTE
Vous n'êtes jamais satisfait, mais on sait que vous avez beaucoup d'argent.

HARPAGON
Comment? C'est faux! Vous allez attirer les voleurs dans ma maison, si vous dites cela.

Harpagon reproche à Cléante de dépenser trop d'argent. Il lui dit qu'il n'aime pas ses manières ni les vêtements qu'il porte en ville. Il lui demande où il trouve l'argent pour être habillé comme cela. Cléante lui répond qu'il gagne au jeu.

ÉLISE
Nous avons tous les deux quelque chose à vous dire.

CLÉANTE
Nous voulons vous parler de mariage*.

HARPAGON
Moi aussi, je voulais vous parler de mariage.

À ces mots, Élise pousse un cri. Elle a peur que les choix de son père ne correspondent pas à ses sentiments.

HARPAGON

Pourquoi ce cri ? La chose vous fait peur ?

CLÉANTE

Tout dépend de la conception que vous avez du mariage.

HARPAGON

Je sais ce qu'il vous faut.

CLÉANTE

Nous avons peur de ne pas être d'accord avec votre choix.

Harpagon leur demande s'ils connaissent une jeune femme appelée Mariane, qui habite près d'ici, et ce qu'ils pensent d'elle. Élise dit qu'elle a entendu parler de cette personne, et Cléante la trouve honnête et charmante. Harpagon le pense aussi, mais pour lui il y a une petite difficulté : sa famille ne doit pas être assez riche.

Ah, mon père, l'argent n'est pas important quand il s'agit d'épouser★ une honnête personne !

Bien. J'ai décidé de l'épouser.

Voilà la décision d'Harpagon, pour ce qui le concerne. Pour son fils, il pense le marier avec une certaine veuve*, et pour Élise, il pense la marier au seigneur* Anselme.

ÉLISE

Au seigneur Anselme ?

HARPAGON

Oui. Un homme honnête, qui n'a pas plus de cinquante ans.

ÉLISE

Je ne veux pas me marier, mon père, s'il vous plaît. Je ne l'épouserai pas.

HARPAGON

Vous l'épouserez dès ce soir.

ÉLISE

Dès ce soir ? Non, mon père.

HARPAGON

Si.

ÉLISE

Non, vous dis-je. Je me tuerai* plutôt que d'épouser un tel homme.

Harpagon n'accepte pas la réponse de sa fille. Valère arrive. Élise est d'accord pour qu'Harpagon lui demande son avis. Valère sera leur arbitre.

Scène 5

VALÈRE, HARPAGON, ÉLISE

Harpagon demande à Valère qui a raison : sa fille ou lui ? Valère ne sait pas de quoi le père et la fille parlent, mais il répond à Harpagon qu'il ne peut pas avoir tort*. Il a donc raison*.
Puis Harpagon dit qu'il veut marier* le soir même Élise à un homme aussi riche que sage, et elle refuse. Pour Valère, il faut laisser à Élise le temps de réfléchir…

HARPAGON
Il faut se décider vite. Car il y a un avantage : il s'engage à la prendre sans dot*…

VALÈRE
Voilà une bonne raison.

Valère ne sait plus quoi répondre. Harpagon pense plus à son argent qu'au bonheur de sa fille. D'ailleurs, il entend du bruit dans le jardin et croit que quelqu'un veut le voler*.

Harpagon sort. Élise demande à Valère pourquoi il donne raison à son père. C'est pour ne pas le mettre en colère*, c'est une ruse* pour obtenir satisfaction.

Bien comprendre l'Acte I

Complétez le résumé de l'Acte 1.

Élise a promis à .... de l'épouser (scène 1). Cléante confie à sa sœur qu'il aime .... (scène 2). Harpagon fait sortir .... et l'accuse de lui voler son argent (scène 3). Harpagon annonce à ses enfants ses projets de mariage : il veut épouser ...., il veut que son fils épouse une « certaine veuve » et que .... épouse Anselme (scène 4). Après les protestations de sa fille, Harpagon demande à .... de jouer le rôle d'arbitre (scène 5).

Harpagon et l'argent.

	VRAI	FAUX
Valère dit qu'Harpagon est avare.	☐	☐
Harpagon a caché de l'argent dans son jardin.	☐	☐
La Flèche a volé de l'argent à Harpagon.	☐	☐
Harpagon ne donne pas d'argent à ses enfants.	☐	☐
Anselme demande de l'argent pour épouser Élise.	☐	☐

Acte II

Scène 1

CLÉANTE, LA FLÈCHE

J'ai découvert que mon père est mon rival.
Votre père amoureux ? Est-ce possible ?

Oui, et je préfère lui cacher* mon amour. Mais pour ce qui nous concerne, est-ce que je vais avoir les quinze mille francs que je demande ?
Oui, à certaines conditions que vous devez accepter.

As-tu rencontré celui qui va me prêter* l'argent ?
Non, il ne veut pas dire son nom.

Le prêteur* a donné ses conditions par écrit.

LA FLÈCHE
L'emprunteur* doit être d'une famille honnête et sans dettes*.

CLÉANTE
D'accord.

LA FLÈCHE
Le prêteur demande un intérêt de 5 %.

CLÉANTE
Bien. Cela semble honnête.

LA FLÈCHE
Mais le prêteur n'a pas l'argent chez lui. Il emprunte à un autre à un taux* de 20 %.

Le taux final s'élève à plus de 25 %. Cléante a besoin d'argent. Il accepte ces conditions excessives, car il pense qu'il n'a pas le choix, avec un père avare comme le sien.

Scène 2

MAÎTRE SIMON, HARPAGON, CLÉANTE, LA FLÈCHE

Chargé de la transaction, maître Simon parle avec Harpagon. Il lui dit que l'emprunteur* est un jeune homme qui a besoin d'argent ; il va accepter toutes ses conditions.

Maître Simon a donné rendez-vous à La Flèche pour que le prêteur rencontre l'emprunteur. Mais lorsque La Flèche aperçoit Harpagon, la surprise est grande : il ne pensait pas que c'était lui le prêteur.

MAÎTRE SIMON

Monsieur est la personne qui veut vous emprunter* les quinze mille francs.

HARPAGON

Comment ! Toi !

CLÉANTE

Comment ! C'est vous qui demandez de telles conditions !

Maître Simon et La Flèche sortent. Le père et le fils se disputent.

HARPAGON

Tu n'as pas honte* de vouloir emprunter de l'argent !

CLÉANTE

Vous n'avez pas honte de vous enrichir de cette manière ! Vous prenez l'argent à ceux qui en ont besoin !

HARPAGON

Je te demande de sortir.

Scène 3

FROSINE, HARPAGON

Frosine arrive. Harpagon lui demande d'attendre un moment. Il veut vérifier que son argent est toujours bien caché*.

Scène 4

LA FLÈCHE, FROSINE

La Flèche rencontre Frosine et lui demande ce qu'elle vient faire ici. Elle vient voir le seigneur Harpagon, pour quelque chose qui va lui faire gagner un peu d'argent. C'est ce qu'elle pense, mais La Flèche n'est pas de cet avis.
Il lui dit qu'elle ne connaît pas le seigneur Harpagon, un homme très avare. Il ne l'a jamais vu donner de l'argent, à personne.

LA FLÈCHE

« Donner » est un mot qu'il ne dit jamais. Il ne dit pas « Je vous donne le bonjour », mais « Je vous prête* le bonjour. »

FROSINE

Je sais comment faire avec les hommes, pour obtenir de l'argent.

LA FLÈCHE

Pas avec lui, il aime trop son argent… Mais le voilà, je m'en vais.

Scène 5

HARPAGON, FROSINE

Harpagon a demandé à Frosine de s'occuper de son mariage*. Pour cela, elle a rencontré Mariane et sa mère. Mais avant de lui donner la réponse de ces dames, Frosine flatte* Harpagon.

Frosine

Ah, mon Dieu ! Que vous vous portez bien !

Harpagon

Qui ? Moi ?

Frosine

Je vois des hommes de vingt-cinq ans qui paraissent plus vieux que vous.

Harpagon

Cependant, Frosine, j'en ai plus de soixante.

Frosine

Soixante ans. Vous avez la santé pour vivre jusqu'à cent ans, voire plus !

Harpagon est impatient de connaître la réponse de Mariane et de sa mère. Frosine lui répond qu'elles acceptent avec joie cette demande en mariage : elles viendront au repas donné le soir pour le seigneur* Anselme.
Harpagon interroge Frosine sur la dot* de Mariane, car il souhaite que ce mariage lui rapporte de l'argent. La mère de

Mariane n'a pas d'argent, mais Frosine dit à Harpagon qu'il fera des économies* après le mariage : Mariane est une personne très simple qui mange peu, qui n'aime pas les bijoux et déteste les jeux d'argent. Enfin, Harpagon se demande si Mariane ne le trouve pas trop âgé.

FROSINE
Ne vous inquiétez pas. Elle déteste les jeunes gens et n'a d'amour que pour les vieillards.

HARPAGON
Elle ?

FROSINE
Oui, elle adore les vieillards de plus de soixante ans, surtout s'ils portent des lunettes.

HARPAGON
Cela est parfait. Mais, m'a-t-elle déjà vu ?

FROSINE
Non, mais je lui ai fait votre portrait. Je lui ai dit toutes vos qualités.

Pour finir, Frosine demande de l'argent à Harpagon, pour le service rendu.

HARPAGON
On m'appelle. Je m'en vais.

FROSINE *(seule)*
Ah ! Il ne veut rien me donner ! Quel avare !

Pour comprendre l'Acte II

Répondez aux questions

– Cléante veut emprunter de l'argent. À la scène 1, connaît-il le prêteur ?

– Qui est celui qui prête l'argent ? (scène 2)

– Est-ce que Frosine connaît bien le seigneur Harpagon ? (scène 4)

– Quel rôle joue Frosine (scène 5) ?

– Mariane a-t-elle déjà vu Harpagon (scène 5) ?

Dans la scène 5, Frosine ne dit pas la vérité à Harpagon. Soulignez ce qui ne vous paraît pas vrai.

Exemple : « Je vois des hommes de vingt-cinq ans qui paraissent plus vieux que vous. »

Entourez les mots qui se rapportent à l'argent.

amour – prêter – emprunter – table – intérêt – bonjour – enrichir – vieillard – lunettes – dot – avare – dehors – économies

Acte III

Scène 1

HARPAGON, CLÉANTE, ÉLISE, VALÈRE,
MAÎTRE JACQUES, SERVANTE ET LAQUAIS*

Harpagon réunit tous ses domestiques* pour la préparation du dîner qu'il va offrir le soir même. Il donne les ordres pour servir les boissons : ne servir à boire que si les invités le demandent plusieurs fois, et servir surtout de l'eau.
Élise va recevoir Mariane puis l'accompagner à la foire*. Harpagon pardonne à Cléante leur dispute*. Il s'adresse ensuite à Maître Jacques, son cuisinier.

HARPAGON
Ce soir, je vais offrir un dîner. Tu nous fais un bon repas ?

MAÎTRE JACQUES
Oui, si vous me donnez assez d'argent.

HARPAGON
Que diable ! Ils n'ont qu'un mot à la bouche : de l'argent, de l'argent ! Toujours parler d'argent !

VALÈRE
Il est possible de préparer un bon repas avec peu d'argent.

MAÎTRE JACQUES
Ah bon ? Vous serez combien à ce dîner ?

HARPAGON

Huit ou dix. Mais comptez pour huit.

Maître Jacques dit tout ce qu'il faut acheter pour le dîner : potages, entrées, viande, volaille*… Harpagon l'arrête, car il ne veut pas trop dépenser.

Pour plaire à Harpagon, Valère dit qu'il ne faut pas trop nourrir les invités, et il propose de s'occuper des achats.

Monsieur Valère s'occupe de tout. Tout cela pour plaire à Monsieur. Mais rien à voir avec ce que j'entends tous les jours sur vous.
Et qu'est-ce qu'on dit de moi ?

Harpagon sort en donnant des coups à Maître Jacques.

Scène 2

MAÎTRE JACQUES, VALÈRE

Maître Jacques, resté seul avec Valère, lui dit qu'il n'aime pas du tout l'attitude qu'il a avec Harpagon. L'un parle avec franchise, l'autre ne pense qu'à plaire*.

VALÈRE
Je vois, Maître Jacques, que vous n'êtes pas très bien payé pour votre franchise.

MAÎTRE JACQUES
Ne vous moquez* pas de moi !

Maître Jacques, en colère, pousse Valère en le menaçant.

VALÈRE
Eh ! Doucement ! Vous ne me connaissez pas.

MAÎTRE JACQUES
Eh bien oui, je vous connais, vous êtes un impertinent.

Valère lui donne des coups de bâton. Il sort.

MAÎTRE JACQUES
On ne peut plus dire la vérité.
(Il s'adresse au public) Je vais me venger* de ce monsieur !

Scène 3

FROSINE, MARIANE, MAÎTRE JACQUES

Frosine arrive avec Mariane. Elle demande à Maître Jacques si Harpagon est chez lui.

Scène 4

MARIANE, FROSINE

MARIANE

Ah, Frosine, j'ai peur de cette rencontre.

FROSINE

Mais pourquoi ? C'est à cause de ce jeune homme ?

MARIANE

Oui. J'ai beaucoup de sentiments pour lui, et si je pouvais choisir…

FROSINE

Croyez-moi, il vaut mieux prendre un vieux mari avec de l'argent. Il sera bientôt mort !

MARIANE

Mon Dieu ! Pour être heureuse, faut-il souhaiter la mort de quelqu'un ?

Scène 5

HARPAGON, FROSINE, MARIANE

Harpagon arrive avec de grosses lunettes. Il dit que c'est pour mieux observer les qualités de sa future épouse. Mais Mariane ne dit pas un mot, elle ne semble pas heureuse de le voir.
Élise vient accueillir la jeune femme.

Scène 6

ÉLISE, HARPAGON, MARIANE, FROSINE

Mariane n'aime pas du tout les manières d'Harpagon.

Merci pour vos bons sentiments.
Voilà mon fils.
Ah, quelle rencontre ! C'est le jeune homme dont je t'ai parlé.
L'aventure est merveilleuse.
Mes enfants sont grands. Ne vous inquiétez pas. Ils seront bientôt mariés.

Scène 7

CLÉANTE, HARPAGON, ÉLISE,
MARIANE, FROSINE, VALÈRE

Cléante et Mariane sont tous les deux très surpris de se rencontrer devant Harpagon.
Cléante est ravi de voir Mariane, mais il ne peut pas approuver ce mariage. Il ne souhaite pas l'avoir pour belle-mère*. Mariane lui répond que, dans ce cas, elle ne souhaite pas l'avoir pour beau-fils* non plus.
Harpagon trouve son fils bien impertinent. Il demande son carrosse* pour que les femmes partent à la foire*. Mais Cléante fait observer la bague d'Harpagon.

CLÉANTE
Avez-vous déjà vu, Madame, un diamant aussi brillant que celui que mon père porte au doigt ?

MARIANE
Il est vrai qu'il brille beaucoup.

Cléante prend la bague du doigt de son père et la donne à Mariane.

CLÉANTE
Il faut voir ce diamant de près.

MARIANE
Il est très beau, c'est sûr.

Cléante se met devant Mariane, qui veut rendre la bague à Harpagon.

CLÉANTE

Il me dit que vous devez accepter.

MARIANE
Je ne veux pas…

HARPAGON *(à son fils)*
Quel insolent !

CLÉANTE
Vous voyez, il ne comprend pas votre refus.

HARPAGON *(à son fils)*
Je te déteste !

CLÉANTE
S'il vous plaît, Madame, acceptez !

HARPAGON *(bas, à Cléante)*
Ah ! Voleur* !

MARIANE
Maintenant je garde la bague. Je choisirai un autre moment pour la rendre.

Scène 8

HARPAGON, MARIANE, FROSINE,
CLÉANTE, BRINDAVOINE, ÉLISE

Brindavoine, le laquais* d'Harpagon, vient dire à son maître qu'un homme veut lui parler.

BRINDAVOINE
Il dit qu'il vous apporte de l'argent.

HARPAGON
Je vous demande pardon, je reviens immédiatement.

Comme c'est pour une affaire d'argent, Harpagon quitte aussitôt ses invités.

Scène 9

HARPAGON, MARIANE, FROSINE,
CLÉANTE, ÉLISE, VALÈRE

Pendant l'absence d'Harpagon, Cléante offre à manger à Mariane. Cela correspond à des dépenses qui ne plaisent pas à Harpagon. Il demande donc à Valère de rapporter chez le marchand ce qui ne sera pas mangé.
Harpagon pense que son fils veut le ruiner* !

Pour comprendre l'Acte III

Notez dans quelle scène se passe chaque action.

– Maître Jacques promet de se venger de Valère.
→ (scène .....)

– Harpagon donne les ordres pour le soir.
→ (scène .....)

– Mariane trouve Harpagon désagréable. Cléante arrive.
→ (scène .....)

– Cléante et Mariane se retrouvent devant Harpagon.
→ (scène .....)

– Mariane dit à Frosine qu'elle aime un jeune homme.
→ (scène .....)

L'avarice d'Harpagon.

Dans la scène 1, soulignez les ordres d'Harpagon pour ce qui concerne les boissons.

Dans la scène 7, Harpagon veut-il donner sa bague à Mariane ?

Dans la scène 8, pourquoi Harpagon quitte-t-il ses invités ?

À la fin de la scène 9, est-il d'accord pour offrir à manger ?

Acte IV

Scène 1

CLÉANTE, MARIANE, ELISE, FROSINE

Élise dit à Mariane qu'elle connaît les sentiments de son frère. Elle comprend leurs difficultés et aimerait les aider. Mariane la remercie pour cette amitié, mais elle doit obéir à sa mère. Elle donne à Cléante la permission de lui parler.
Pour le moment, Cléante demande conseil à Frosine.

CLÉANTE
Frosine, voudrais-tu nous aider ?

MARIANE
Donne-nous des idées.

FROSINE
Il faut trouver une femme un peu âgée, et dire à Harpagon qu'elle est riche. Car je sais qu'il vous aime, mais il aime un peu plus l'argent.

De son côté, Mariane est décidée à parler à sa mère. Elle va lui dire les sentiments qu'elle a pour Cléante.
Frosine pense que si la mère a donné son accord pour le mariage avec Harpagon, elle va le donner pour le mariage avec le fils.

Scène 2

HARPAGON, CLÉANTE, MARIANE, ÉLISE, FROSINE

Harpagon aperçoit son fils qui baise la main de sa future belle-mère*. Comme Mariane ne dit rien, Harpagon pense qu'il y a un secret entre eux.

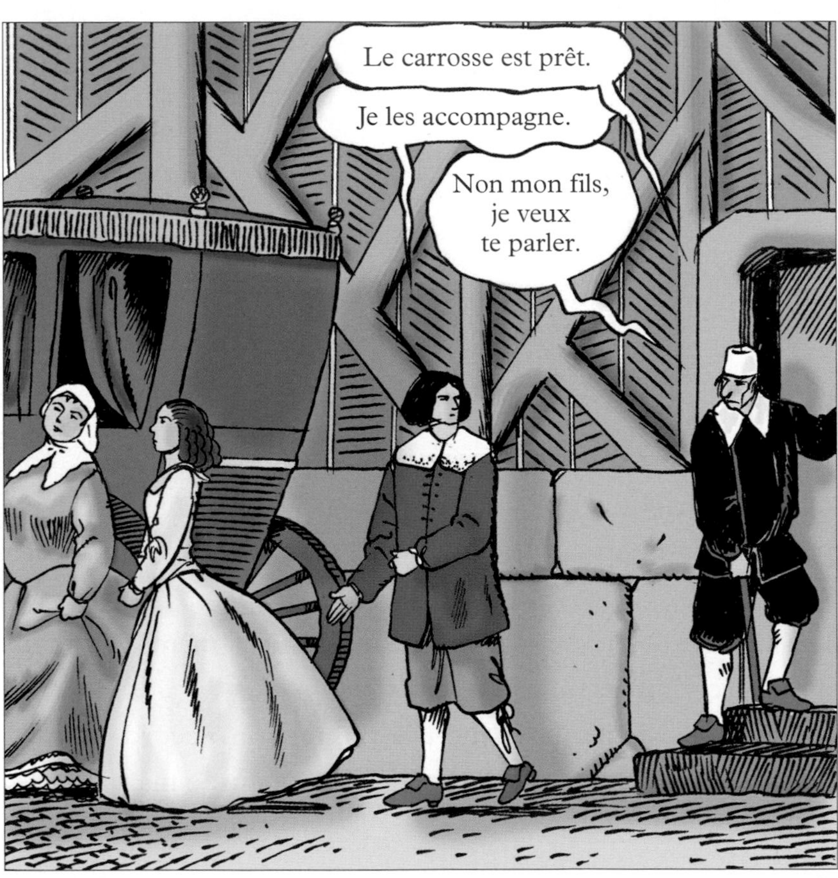

Scène 3

HARPAGON, CLÉANTE

Harpagon, resté seul avec son fils, lui demande son avis sur Mariane : Que pense-t-il de cette personne ? de sa beauté ? de son esprit ? Cléante préfère répondre qu'elle ne lui plaît pas beaucoup.

Cléante

En mariage ?

Harpagon

Oui, en mariage. Mais je l'épouserai* moi-même.

Cléante

Pardonnez-moi, mais je peux faire un effort et me marier avec elle pour vous faire plaisir.

Harpagon

Non, mon fils. Un mariage ne peut être heureux sans amour.

Cléante

Eh bien, je vais vous dire notre secret. La vérité est que je l'aime, et mon souhait était de l'épouser.

Cléante dit qu'il a déjà vu Mariane plusieurs fois chez elle, avec sa mère. Il a été très bien reçu et il pense que Mariane a quelques sentiments pour lui.

Harpagon *(bas, à part)*

Je suis bien content d'avoir appris ce secret.

Harpagon *(haut)*

Il faut oublier cette personne que je veux épouser !

Cléante

Non, je ne peux pas renoncer* à la passion que j'ai pour Mariane.

Je suis ton père,
tu me dois le respect.
Tu renonceras à elle.
Pas du
tout.
Tu veux recevoir
quelques coups
de bâton ?

Scène 4

MAÎTRE JACQUES, HARPAGON, CLÉANTE.

MAÎTRE JACQUES
Eh bien messieurs, pourquoi cette dispute ?

HARPAGON
Je vous demande, Maître Jacques, d'être le juge de cette affaire. Mon fils aime une personne que je veux épouser.

MAÎTRE JACQUES
Il a tort. Je vais lui parler.

CLÉANTE
Mon père veut épouser la femme que j'aime !

MAÎTRE JACQUES
Ah non, il est trop vieux pour elle ! Je vais lui dire deux mots.

Maître Jacques parle encore à l'un, puis à l'autre. Il dit à Harpagon que son fils a tort*. Il dit à Cléante que son père a tort. À la fin, il fait croire à l'un et à l'autre que chacun renonce* à Mariane.

MAÎTRE JACQUES
Enfin, vous voilà d'accord maintenant !

Scène 5

CLÉANTE, HARPAGON

Cléante demande pardon à son père pour cette dispute. Harpagon accepte ses excuses, car il croit que son fils ne veut plus se marier avec Mariane.

CLÉANTE

Ah, mon père, je ne vous demande plus rien d'autre. Merci de me donner Mariane.

HARPAGON

Comment ?

CLÉANTE

Je dis que je suis trop content car vous m'accordez Mariane.

HARPAGON

Qui ? Moi ? Mais c'est toi qui renonces* à elle !

CLÉANTE

Pas du tout. Je ne change pas d'avis.

HARPAGON

Je ne veux plus te voir !

CLÉANTE

Peu importe.

HARPAGON
Je t'abandonne. Je te déshérite*.

CLÉANTE
Ça m'est égal.

Scène 6

LA FLÈCHE, CLÉANTE

La Flèche arrive du jardin avec une cassette*. Il appelle Cléante pour lui dire qu'il a observé toute la journée et qu'il a trouvé le trésor d'Harpagon.

LA FLÈCHE
Venez vite !

CLÉANTE
Qu'y a-t-il ?

LA FLÈCHE
Voici le trésor de votre père.

CLÉANTE
Comment tu l'as trouvé ?

LA FLÈCHE
Je vous dirai ça plus tard. Partons, votre père arrive.

À ce moment, on entend crier Harpagon.

Scène 7

HARPAGON

Au voleur* ! au voleur !
à l'assassin* ! Je suis perdu !
Je suis assassiné !

On m'a volé mon argent !
Où est-il ? Où se cache-t-il ?
Où courir ? Où ne pas courir ?

Qui cst-ce ? Arrête !
Rends-moi mon argent…
Ah, c'est moi ! Ah, mon pauvre
argent ! Sans toi, il m'est
impossible de vivre !

Quelqu'un m'a observé. Que de
spectateurs ! Le voleur est-il ici ?
Ils me regardent tous
et se mettent à rire.
Allons, vite, des officiers de
justice, des agents de police…

Pour comprendre l'Acte IV

Complétez le résumé de l'Acte 4.

Cléante et Mariane demandent l'aide de Frosine pour qu'Harpagon renonce à épouser ....

Harpagon aperçoit .... qui baise la main de la jeune femme. Le père arrive à faire dire à son .... ses véritables sentiments. Les deux hommes se disputent.

.... fait croire à l'un et à l'autre que chacun renonce à Mariane. Mais la dispute recommence et .... déshérite son fils.

La Flèche a trouvé le .... d'Harpagon. Celui-ci crie et appelle la ....

Retrouvez les mots et expressions contraires.

Exemple : Prêter /emprunter

obéir	refuser
être jeune	désobéir
accepter	avoir tort
avoir raison	être âgé(e)

Acte V

Scène 1

HARPAGON, LE COMMISSAIRE

Harpagon a appelé la police. Le Commissaire arrive et demande combien il y avait d'argent dans cette cassette*.

Scène 2

MAÎTRE JACQUES, HARPAGON, LE COMMISSAIRE

Maître Jacques arrive en parlant du cochon qu'il prépare à sa façon pour le repas du soir. Harpagon l'arrête aussitôt pour lui demander s'il n'a pas pris son argent. Il est en colère* contre lui. Le Commissaire demande à Harpagon plus de calme, car il pense que Maître Jacques est un honnête homme.
Interrogé par le Commisaire, Maître Jacques trouve ici l'occasion de se venger* de Valère…

MAÎTRE JACQUES
Je crois que c'est Monsieur Valère.

LE COMMISSAIRE
Il est nécessaire d'apporter des preuves*.

HARPAGON
Valère ? L'as-tu vu près de mon argent ?

MAÎTRE JACQUES
Oui. Où était votre argent ?

HARPAGON
Dans le jardin.

MAÎTRE JACQUES

Oui. Je l'ai vu dans le jardin. Et dans quoi était votre argent ?

HARPAGON

Dans une cassette*.

MAÎTRE JACQUES

Voilà. Je l'ai vu avec une grande cassette.

HARPAGON

Celle qu'on m'a volé est petite. Et de quelle couleur est-elle ?

MAÎTRE JACQUES

Euh… D'une certaine couleur. Rouge ?

HARPAGON

Non, grise.

MAÎTRE JACQUES

Eh bien, gris-rouge.

HARPAGON

Il n'y a aucun doute. C'est elle !

MAÎTRE JACQUES

Monsieur, le voilà qui revient. Ne dites pas que c'est moi…

Scène 3

VALÈRE, HARPAGON,
LE COMMISSAIRE, MAÎTRE JACQUES

Valère ne sait pas encore que le trésor a été volé, et il ne comprend pas ce que lui demande Harpagon.

HARPAGON
Mais, dis-moi, pourquoi as-tu fait cela ?

VALÈRE
Par amour.

HARPAGON
Amour ? Amour de mes louis d'or*, oui.

Valère croit qu'Harpagon a découvert sa relation amoureuse avec sa fille, mais Harpagon ne pense qu'au trésor qu'on lui a volé. L'un parle d'Élise, l'autre de l'argent disparu.

HARPAGON
Dis-moi où elle est. Où l'as-tu enlevée ?

VALÈRE
Je ne l'ai pas enlevée. Elle est toujours chez vous.

HARPAGON *(à part)*
Oh, ma chère cassette* ! *(haut)* Tu n'y as pas touché ?

VALÈRE
Elle est bien trop respectueuse et trop honnête pour cela.

HARPAGON *(à part)*
Ma cassette trop honnête !

Valère

Votre servante sait la vérité au sujet de votre fille.

Harpagon

Mais pourquoi me parles-tu de ma fille ?

Valère

Nous avons tous les deux signé une promesse de mariage*.

Scène 4

ÉLISE, MARIANE, FROSINE, HARPAGON,
VALÈRE, MAÎTRE JACQUES, LE COMMISSAIRE

Harpagon est maintenant en colère* contre Élise. Il n'accepte pas que sa fille ait signé une promesse de mariage* sans son accord. Il pense qu'elle est amoureuse d'un voleur et veut les punir* tous les deux.

ÉLISE *(à genoux devant son père)*
Ah, mon père ! Pourquoi cette colère* ? Prenez le temps de connaître celui que vous voulez punir. Oui, mon père, c'est lui qui m'a sauvé la vie...

HARPAGON
Je préfère qu'il te laisse mourir, plutôt que de faire ce qu'il fait.

ÉLISE
Mon père, s'il vous plaît...

HARPAGON
Non, non, je ne veux rien entendre.

Scène 5

ANSELME, HARPAGON, ÉLISE, MARIANE,
FROSINE, VALÈRE, MAÎTRE JACQUES, LE COMMISSAIRE

Anselme arrive à ce moment et demande à Harpargon ce qui se passe dans sa maison. Harpagon lui présente Valère comme un traître* qui s'est introduit chez lui comme domestique*, pour voler* son argent et prendre sa fille. Ils se sont fait une promesse de mariage, alors qu'Harpagon avait promis Élise au seigneur Anselme.

VALÈRE
La passion que j'ai pour votre fille n'est pas un crime. Vous ne savez pas qui je suis. Tout Naples me connaît.

ANSELME
Attention à ce que vous dites. Vous parlez à un homme qui connaît très bien Naples.

VALÈRE *(il met fièrement son chapeau)*
Alors, vous savez qui était dom Thomas d'Alburcy.

ANSELME
Oui, je sais. Que voulez-vous me dire ?

Anselme dit que cet homme a disparu en mer avec sa femme et ses enfants, il y a seize ans.

Valère répond que dom Thomas d'Alburcy est son père et qu'un bateau espagnol l'a sauvé du naufrage* avec un domestique. Il sait depuis peu de temps que son père n'est pas mort.

ANSELME

Mais qui peut assurer que vous dites la vérité ?

VALÈRE

Le domestique sauvé avec moi et le capitaine espagnol.

MARIANE

Vous dites la vérité, cher Valère, et je découvre que vous êtes mon frère.

VALÈRE

Vous, ma sœur ?

MARIANE

Oui, notre mère m'a souvent parlé des malheurs de notre famille. Nous avons été sauvées de ce naufrage par des corsaires*...

Quand Harpagon comprend que Valère est le fils du seigneur Anselme, il ne pense qu'à une chose : récupérer les dix mille écus qu'on lui a volés.

Valère est-il capable de ce vol ? Peu importe pour Harpagon, il veut avoir son argent.

Scène 6

CLÉANTE, VALÈRE, MARIANE, ÉLISE, FROSINE, HARPAGON, ANSELME, MAÎTRE JACQUES, LA FLÈCHE, LE COMMISSAIRE

Cléante arrive et demande à son père d'arrêter ses accusations, car il sait où est la cassette*.

CLÉANTE

Je sais où est votre argent. Si vous me laissez épouser Mariane, je vous donne votre cassette.

HARPAGON

D'accord, mais je veux être sûr que tout l'argent est là.

Mariane a retrouvé son père, elle veut obtenir son accord.

ANSELME

Mes enfants retrouvés, je ne m'oppose pas à leurs désirs. Allons, seigneur Harpagon, acceptez comme moi ce double mariage.

HARPAGON

Pour cela, il faut que je voie ma cassette. Et je n'ai pas d'argent pour le mariage de mes enfants.

ANSELME

Eh bien, j'en ai pour eux.

HARPAGON

Vous acceptez de payer les deux mariages ?

ANSELME

D'accord.

Le Commissaire se demande alors qui va payer son travail, mais Harpagon est bien trop avare pour cela. Le seigneur Anselme accepte de payer à sa place et propose de pardonner Maître Jacques.

ANSELME

Allons vite retrouver votre mère, et lui faire partager notre joie.

HARPAGON

Et moi, voir ma chère cassette.

Pour comprendre l'Acte V

Répondez aux questions.

Souvenez-vous : que se passe-t-il dans la dernière scène de l'Acte 4 ?

Dans l'Acte 5, Harpagon ne pense qu'à une chose. Laquelle ?

Pour finir, il y a deux mariages annoncés. Qui sont les futurs mariés ?

.... et ....

.... et ....

Qui va payer les deux mariages ?

Vrai ou faux ?

	VRAI	FAUX
Le commissaire de police est appelé pour un crime.	☐	☐
Maître Jacques sait qui a volé l'argent.	☐	☐
En vérité, la cassette est petite et grise.	☐	☐
C'est Valère le voleur.	☐	☐
Le seigneur Anselme retrouve ses enfants, Mariane et Valère.	☐	☐

Assassin : personne qui a tué quelqu'un. (Être assassiné = être tué.)

Avare : personne qui garde son argent, qui ne dépense rien.

Avarice : caractère d'une personne avare, intérêt excessif pour l'argent.

Beau-fils : ici, fils du mari.

Belle-mère : ici, seconde épouse du père.

Cacher : garder secret. On ne peut pas voir ce qui est caché.

Carrosse : voiture de luxe, tirée par des chevaux.

Cassette : petit coffre, boîte où l'on met des objets précieux.

Colère : attitude violente et agressive. (Mettre en colère = énerver, irriter.)

Corsaires : hommes qui attaquaient les bateaux pour prendre leurs marchandises.

Crime : meurtre, le fait de causer la mort de quelqu'un.

Déshériter : ne pas donner d'héritage (d'argent) après sa mort.

Dette : argent que l'on doit rendre.

Dispute : discussion vive, quand deux personnes ne sont pas d'accord (verbe : se disputer).

Domestique : employé de maison.

Dot : argent qu'une femme apporte pour son mariage.

Économies (faire des) : ne pas dépenser tout son argent.

Écu : ancienne monnaie.

Emprunter : se faire prêter de l'argent.

Emprunteur : personne qui se fait prêter de l'argent.

Enterré : dans la terre.

Épouser : prendre en mariage, se marier.

Flatter : dire des paroles agréables pour plaire à l'autre personne.

Foire : grand marché public.

Honte (avoir honte de…) : sentiment de déshonneur, d'humiliation, de culpabilité.

Laquais : employé de maison avec un costume particulier.

Louis d'or : monnaie (du nom de Louis XIII).

Juge : personne chargée de rendre la justice, arbitre.

Mariage : union officielle d'un homme et d'une femme.

Marier : unir un homme et une femme.

Moquer (se) : rire de quelqu'un.

Naufrage : disparition d'un bateau.

Plaire : être agréable.

Prêter : donner pour un moment ; les banques prêtent de l'argent.

Prêteur : personne qui prête de l'argent.

Preuves : informations précises qui permettent d'établir la vérité.

Procès : jugement devant un tribunal d'une personne qui n'a pas respecté la loi.

Punir : sanctionner quelqu'un pour une erreur.

Raison (avoir) : ne pas se tromper.

Regretter : avoir de la peine, ne pas être content d'une décision.

Regrettable : que l'on regrette.

Renoncer : abandonner une idée importante (ici, le mariage avec Mariane).

Ruiner (quelqu'un) : faire perdre tout l'argent de quelqu'un.

Ruse : astuce, stratagème pour obtenir ce que l'on veut.

Seigneur : nom donné à certaines personnes riches et nobles.

Taux : prix à payer.

Tort (avoir) : se tromper, ne pas avoir raison.

Traître : personne qui abandonne, dénonce un ami.

Tuerai : tuer (au futur) ; causer la mort.

Valet : ancien serviteur.

Venger (se) : rendre à quelqu'un le mal qu'il nous a fait.

Veuf, veuve : homme (femme) dont la femme (le mari) est mort(e).

Volaille : ensemble des oiseaux que l'on mange (le poulet, la dinde...).

Voler : prendre quelque chose à quelqu'un, sans son accord. (Nom : vol.)

Voleur : personne malhonnête, qui a commis un vol.

Édition : Marie-Christine COUET-LANNES
Couverture : Grupo ADRIZAR, Judith MORENO
Illustration couverture : Fernando DAGNINO
Illustrations de l'intérieur : Bernard CICCOLINI
Maquette et mise en page : ALINÉA
Photo p. 3 : *Portrait de Molière,* peinture de Jean-Baptiste Mauzaisse (1784-1844), 1841, Musée du Château de Versailles, ph. Coll. Archives Nathan.

N° d'éditeur : 10202227
Imprimé en France par l'Imprimerie Clerc - 18200 Saint-Amand-Montrond
Dépôt légal : novembre 2013 - N° d'impression : 13852

Imprimé en France